ISBN : 978-2-215-08707-6
© Groupe FLEURUS, 2007
Dépôt légal à la date de parution.
Conforme à la loi n° 49-956 du 16 juillet 1949
sur les publications destinées à la jeunesse.
Imprimé en Italie (12-07).

Zoé est impatiente

Conception :
Jacques Beaumont
Texte :
Fabienne Blanchut
Images :
Camille Dubois

GROUPE FLEURUS, 15-27 rue Moussorgski, 75018 PARIS
www.editionsfleurus.com

Zoé veut toujours aller vite.
Vite pour ci, vite pour ça,
parfois c'est la cata !

Mais quand elle devient une petite Princesse Parfaite, Zoé prend son mal en patience. On ne peut pas tout avoir tout de suite !

Pour le spectacle de fin
d'année, Zoé, dans sa hâte,
a oublié de se coiffer.

Mais parfois, Zoé est une Princesse Parfaite ! Pour se maquiller, elle prend son temps. Pour le spectacle, c'est important !

Zoé n'a plus de sent-bon. Au lieu d'attendre, elle s'asperge de celui de Mamy Jacotte. Pouah, ça cocotte !

Mais parfois, Zoé est une Princesse
Parfaite ! Maman a promis d'en racheter,
et Zoé, elle, de patienter...

« Zoé, tu es vraiment exaspérante », dit Papa. À peine installée, Zoé demande si on est bientôt arrivé.

Mais parfois, Zoé est une
Princesse Parfaite !
La route des vacances,
c'est long : autant piquer
un petit roupillon.

Quand Zoé va à la pêche avec Papy, elle n'arrête pas ! Au lieu d'observer sans bouger le bouchon, elle saute et gigote... et fait fuir les poissons.

Mais parfois, Zoé est une Princesse Parfaite !
Papy et elle se comprennent sans un mot.
Ils sont si patients que pour un peu,
ils pourraient attraper un cachalot !

Attendre midi, c'est impossible !
Assise sous le cerisier, Zoé a tout dévoré
et son bidon est tout gonflé !

Mais parfois, Zoé est une Princesse Parfaite ! Elle attend patiemment que Maman ait fini le clafoutis. Bon appétit !

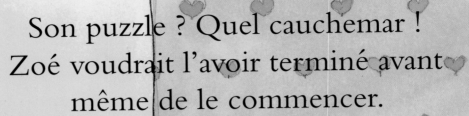

Son puzzle ? Quel cauchemar !
Zoé voudrait l'avoir terminé avant
même de le commencer.

Mais parfois, Zoé est une Princesse Parfaite !
Elle réfléchit longtemps, et quand elle trouve
le bon emplacement, c'est géant !

Zoé est si pressée de
voir ses dents tomber,
qu'elle tire dessus
pour les faire bouger.

Mais parfois, Zoé est une Princesse Parfaite !
Elle attend patiemment le moment où la petite souris va passer…

Maman a lavé Doudou.
Mais Zoé est si pressée de le
récupérer qu'elle ne lui laisse
pas le temps de sécher.

Mais parfois, Zoé est
une Princesse Parfaite !
Elle attend patiemment
que Doudou sèche
dans le vent. Elle
pourra le câliner
dans un instant.

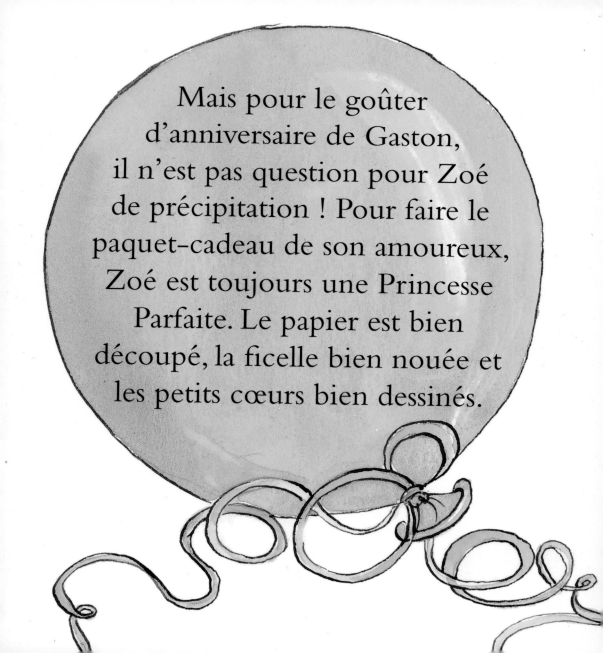

Mais pour le goûter
d'anniversaire de Gaston,
il n'est pas question pour Zoé
de précipitation ! Pour faire le
paquet-cadeau de son amoureux,
Zoé est toujours une Princesse
Parfaite. Le papier est bien
découpé, la ficelle bien nouée et
les petits cœurs bien dessinés.